97 '나의 바이블'

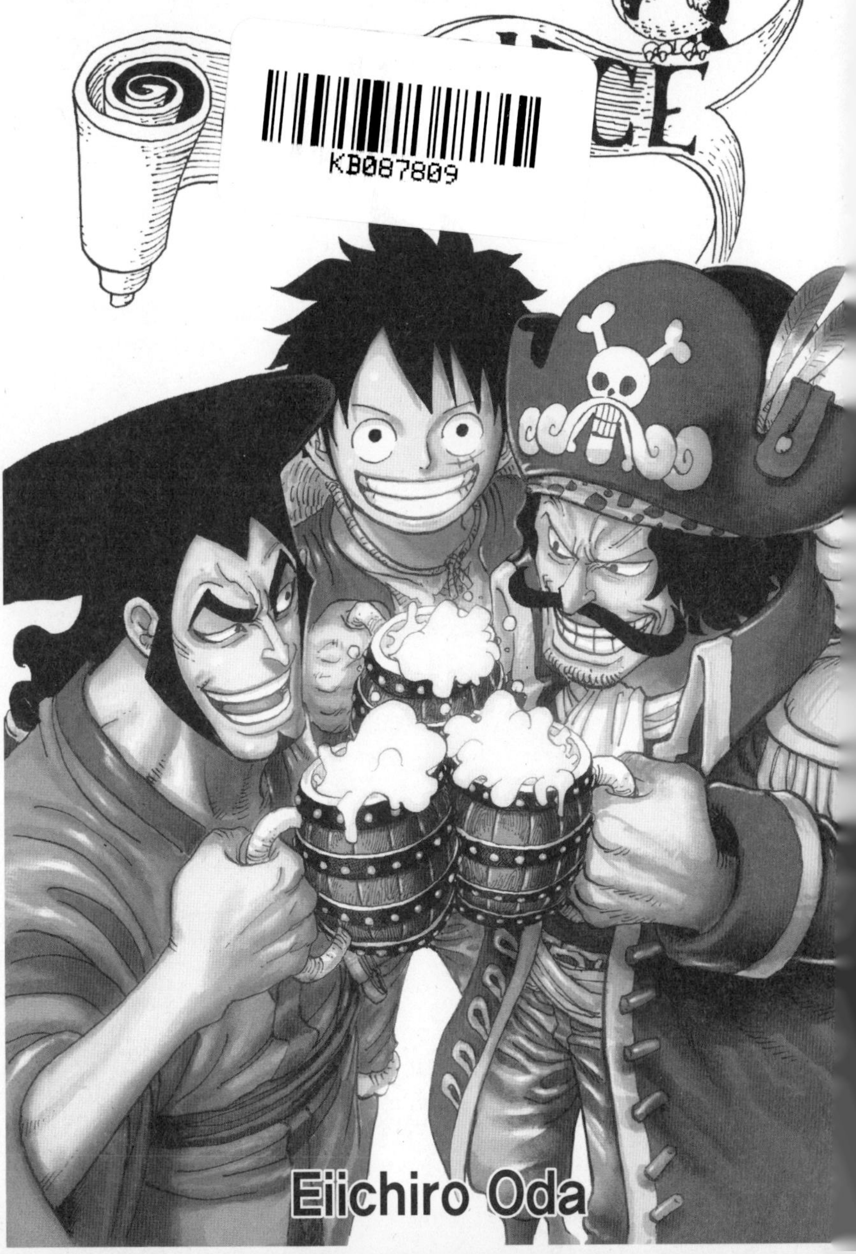

Eiichiro Oda

밀짚모자 일당

쵸파에몬 【 닌자 】
토니토니 쵸파

'새의 왕국'에서 '강한 약' 연구에 몰두하다.
재합류에 성공.

[선의 현상금 100베리]

루피타로 【 낭인 】
몽키 · D · 루피

해적왕을 꿈꾸는 청년. 2년의 수련을 거치고,
동료와 합류. 신세계로 향한다.

[선장 현상금 15억베리]

오로비 【 게이샤 】
니코 로빈

혁명군 리더이자 루피의 아버지 드래곤이
있는 바르티고를 거쳐, 합류.

[고고학자 현상금 1억 3000만베리]

조로주로 【 낭인 】
롤로노아 조로

어두우르가나 섬에서 자존심을 버리고 미호크
에게 검의 가르침을 간청. 이후 합류에 성공.

[전투원 현상금 3억 2000만베리]

프라노스케 【 목수 】
프랑키

'미래국 벌지모어'에서 자신의 몸을 더욱 개조
'아머드 프랑키'가 되어 합류.

[조선공 현상금 9400만베리]

오나미 【 여닌자 】
나미

기후를 분석하는 나라, 작은 하늘섬
'웨더리아'에서 신세계의 기후를 배워 합류.

[항해사 현상금 6600만베리]

본키치 【 유령 】
브룩

수장족에게 잡혀 구경거리가 되었으나, 대스타
'소울킹 브룩'으로 출세해 합류.

[음악가 현상금 8300만베리]

우소하치 【 두꺼비 기름 장수 】
우솝

보인 열도에서, '저격의 제왕'이 되기 위해
헤라클레스의 가르침을 받고 합류.

[저격수 현상금 2억베리]

Shanks
샹크스

'사황 중 한 사람. '위대한 항로' 후반
신세계에서 루피를 기다린다.

[빨간 머리 해적단 선장]

상고로 【 소바장수 】
상디

'뉴하프만 왕국'에서 뉴커마 권법의 고수들과
대전. 한층 더 성장하여 합류.

[요리사 현상금 3억 3000만 베리]

와노쿠니 (코즈키 가문)

코즈키 모모노스케

[와노쿠니 쿠리 다이묘 (후계자)]

아
카
자
야
아
홉
남
자

여우불 킨에몬

[와노쿠니의 사무라이]

안개의 라이조

[와노쿠니의 닌자]

소낙비 칸주로

[와노쿠니의 사무라이]

키쿠노죠

[와노쿠니의 사무라이]

코즈키 히요리 (코무라사키)

[모모노스케의 여동생]

아슈라 동자 (슈텐마루)

[아타마야마 도적단 두령]

카와마츠

[와노쿠니의 사무라이]

이누아라시 공작

[모코모 공국 낮의 왕]

네코마무시 나리

[모코모 공국 밤의 왕]

시노부

[베테랑 여닌자]

꽃의 효고로

[야쿠자 대두목]

트라팔가 로

[하트 해적단 선장]

캐럿 (토끼 밍크)

[전수민족 왕의 새]

코즈키 오뎅

로저와 동행하여 세계 일주를 이룬다. 그러나, 와노쿠니로 돌아가 오로치의 함정에 목숨을 잃는다.

[와노쿠니 쇼군 후계]

키
드
해
적
단

유스타스 키드

[하트 해적단 선장]

킬러 (살인귀 카마조)

[키드 해적단 전투원]

와노쿠니 (쿠로즈미 가문)

쿠로즈미 오로치

카이도와 손을 잡고 와노쿠니를 지배. 코즈키 가문에 원한이 있으며 교활하게 군다.

[와노쿠니 쇼군]

후쿠로쿠쥬

[오로치 오니와빤슈 대장]

오로치 오니와빤슈

[와노쿠니 쇼군 직속 닌자 부대]

말뚝잠 쿄시로

[쿠로즈미 가문 전속 환전상]

쿠로즈미 칸주로

[오로치 측 스파이]

빅 맘 해적단

빅 맘
샬롯 링링 【 사황 】

'사황' 중 한 사람. 통칭 빅 맘. 수명을 뽑아내는 '소울소울 열매 능력자.

[빅 맘 해적단 선장]

으로 루피 일행은 나타나지 않는데⋯. 20년 전, 오로치와 카이도의 함정으로 인해 목숨을 잃은 코즈키 오뎅의 원통함을 풀기 위해 킨에몬 루피 일행을 기다리지 않고 결전에 임하려 하였다. 그 순간, 경악스런 사실이 밝혀진다!! 동료로 믿었던 칸주로는 놀랍게도 오로치 측⋯이였다!! 낙담하는 킨에몬 측⋯. 하지만 그곳에 루피 일행이 모습을 드러내고⋯⋯.

백수 해적단

백수의 카이도
【 사황 】

수차례 고문과 사형을 당하고도 아무도 그를
죽일 수 없어, '최강의 생물'로 불리는 해적.

[백수 해적단 선장]

'대간판'

화재(火災)의 킹

역재(疫災)의 퀸

가뭄해 잭

'토비롯포'

X (디에스) 드레이크

페이지원

'신우치'

바질 호킨스

홀덤

바바누키

다이후고

솔리티아

스피드

도봉

Story   · 줄거리 ·

2년의 수행을 거치고, 샤본디 제도에서 재집결에 성공한 밀짚모자 일당. 그들은 어인섬을 거쳐 마침내 최후의 바다, '신세계'에
이른다!! 루피 일행은 '사황 카이도 격파'를 위해 와노쿠니에 상륙하여 2주일 후 습격 작전에 대비해 동지를 모으고 있었다. 하지만,
카이도 측에 움직임이 들통나 위기에 빠지고 만다. 어떻게든 재정비에 성공하여 동지들을 모아 결전 당일을 기다렸으나, 오로치의

ONE PIECE
vol. 97
'나의 바이블'

CONTENTS

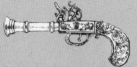

제 975 화
'킨에몬의 꾀'

'갱' 벳지의 오 마이 패밀리 Vol.23 '누군지 모르겠지만, 구해줘서 고마워♡'

각지의 야쿠자가 200명!!

없군.

죄수 채굴장의 3500명은?!

그 녀석들과 함께 수리한 배가 몇십 척은

여기 와있어야 하는데!!

이타치 항구에는 이누아라시의 총사대가 200명!!

아타마야마 도적단이 200명 있었다.

무슨 트러블이라도 생겼어——?!

그리고 그 전원이 쓸 수 있을 만큼

대량의 무기가 '링고'에서!!

작전은 전부 새어 나갔다…!!!

미안하네.

?!

뭐——?!!

우리도 자세히는 모르지만!!

그럴 수가……!!

고오오오

모두가 어찌 되었는가……!! 아무것도 모르겠소!!

오로치 님의 명령으로

마을을 잇는 '대교'도 파괴했다!!

——그 라이온 배는 미처 박살 내지 못했지만

이타치(족제비) 항구에 있던 배는 어젯밤 전부 침몰시켰다구!!

배가 없으면 '오니가시마'에 상륙조차 못 해!!!

오늘을 놓치면 기습 찬스는 두 번 다시 없다!!

설령 온다고 한들

어느 놈 하나 오지 않은 건 그 탓이지!!

!!

절망을 더하는 듯해서 안 됐지만, 오늘의 연회는 백수 해적단과

그 빅 맘 해적단의 '동맹'을 기념하는 연회이기도 하거든!!!

색출된 반역자들은……

내일부터 차근히 몰살행이야!!

'사황'의 동맹이라고?!

빅 맘… ……?!!

빅 맘과 카이도가~ ~~~~?!!

?!!

이쪽은 적이 아닌데 왜 그런 짓을~~~~~~~!!

이쪽을 향한 대포만 사용 불가로 해두었다.

가라 앉히는 건 미안해서

효고로 두목을 대신하는

도읍의 협객이다……!!

저 녀석은……

상당한 실력자다!!!

조심해라.

사람들이 이르길 '말뚝잠 쿄시로' 라고 하오!!!

소인은 꽃의 도읍 야쿠자

아카자야 사무라이 분들!!!

17

도대체 왜?! 무슨 의리가 있어서?!!

거짓말이죠, 두목!!

당신들의 습격을 거들겠소이다!!

우리 쿄시로 일가 200명.

?!

띠

링!!!

—아무튼 떠오르는 게 킨 씨!! 40년 전 도읍에서 일어난 '산신 사건', 세간에선 마치

스륵!

의리든 은혜든, 코즈키 가문에 입은 것을 헤아릴 수 없습죠!!

욕심 넘치던 젊은 당신이 일으킨 사건이었지!!

꽈앙!

훽!

?!

아니잖소, 그건…!!

오뎅 님의 폭주로 이해했지만 ………

킨 씨?

렌지로인가?!!

너……!!

큰일이다. 나 때문에 도읍이?!!

뭣….

뭐엇?!!

그것을 아는 건… 이제는 단 한 사람 뿐인데….

아니나 다를까 이름을 대었다면

당장이라도 이름을 밝히고 싶었으나

물론이요!!

만일을 생각해 계속 적으로 있었소………!!

못 알아봤겠지….

덴지로—?!

마지막까지 오로치의 신뢰를 얻음으로 하여…!!'

내가 오로치에게 제거당했겠지…!!

덴지로.

………
……!!

내통자에게 정체가 들통나

총합 1200명의 병사를 더해주오!!!

'라세츠 마을 감옥소'의 사무라이 천 명을

해방시킬 수 있었다!!

우오오~~~~!!!

'오니가시마' 습격 작전은!!!

20년이 지나도!! 오뎅 님의 전설의 죽음은 잊지 못해!!

'코즈키 가문'의 재부흥을 믿고 우리는 살아왔다!!

함께 가자고. '아카자야'의 사무라이들!!! 준비는 다 됐어!!

킨 씨!! 과연 우리의 리더!!

역시 당신은 존경받을 만 해!!!

저 쪽수는 뭐야~~~~~?!!

우와— 장관이다!!!

잘 모르겠지만 문제없는 거구나.

큰일이다!! 아무것도 막지 못했다!!

구두 만들기 중인 밀짚모자 일당을 톤타타 소인족들이 돕고 있는 모습. p.n. 호미츠 나메코

솔직히 말해 보시지, 킨에몬!!

너 진심으로 '토카게(도마뱀)'이라 생각했지.

그만두래도!

그만해.

결과가 좋았으니 됐다. 화 안 낼 테니 말해.

평생의 '운'을 다 쓴 기분이외다!!

와 와

——소인, 이 싸움에서 죽을지도 모르겠군!!

!!

——하지만 이는 너라는 동지를 가진

우리의 '운'이기도 하다!!

우리의 리더!!

킨에몬 공!!

확실히 무시무시한 강운!!!

얼마나 있든
이쪽은
전함이고
저쪽은 그냥
'나룻배'야!!!

엄청난
수다…!!

포격
준비!!

죽을 때는
함께다.
기억해 둬!!

지금 해야
할 일은
하나!!

보고다…!!
나는
주어진
'역할'을
다했어!!

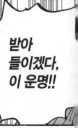

받아
들이겠다,
이 운명!!

하고 있는데
아마 연회로
시끄러워서
모르나 봐….

오니가시마에
연락은?!

기필코
와노쿠니를

바꾸고
말겠어――!!!

네 아비 오뎅과………

그렇고말고. 다들 죽는 거다. 마침내.

다들 죽겠다!!

그만해다오. 칸주로!!

'희망'을 던져주어 놈들이 죽을 때를 20년이나 늘어트렸다.

네 어미 토키가

나 자신이 가장 잘 알고 있다!!

소인이 '코즈키 오뎅'이 아니란 것은

높은 데서 쭉정이처럼 움츠러드는 겁쟁이 꼬마.

하지만 저 굳센 사무라이들의 '대장'은…!!

누구보다도 잘 안다!!

카카칵. 웃기는 이야기야.

그것이 적이 바라는 바!!

모두 소인은 신경 쓰지 말거라!!

?!

다들!! 들리는가?!

?!

모모노스케 님?!

카이도, 오로치를 물리치고 와노쿠니를 지켜다오!!!

이 몸은 혼자 도망쳐 보일 터이니!!!

이러면 구조받을 수 없다… 하지만….

떠 링!!

어쩌지…!! 무리야….

모모 주제에

………

……!!

사내다움을 보여줬네!!

거룩하신 말씀을 ………!!

어찌 이렇게 애처롭고

으허엉——!!

모모노스케 님……!!!

반드시
구하러
갈게!!!

어떻게든
살아남아!!!

?!

저 자식
누구야,
콱 베어버려!!

그래, 모모!!
너는 쫄보에
바보 꼬마인
주제에!!

으스댈 줄만 아는
상투 머리
꼬마야!!

!!!

친구니까
말이야!!!

가자.
오니가시마로!!

그래!!

………
……!!

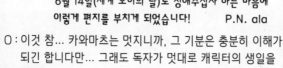

（가나가와현 · 아사미 하야토 씨）

O (오다) : ↑엑―?!🎵 잠깐잠깐――!! SBS 시작 당해버렸어!
그건 아무래도 좋은데!! 만화가 다르다고!!
'사랑에 빠진 원피스'※의 나카츠가와 우솝이잖아!!
매주 재미나게 읽기는 하지마는!!
스핀오프가 원작에 나타나면 안 되지!! 썩 돌아가―!!

※공식 스핀오프 책자 '恋するワンピース'.

D (독자) : 처음 인사드려요!! 오랫동안 원피스를 읽어왔는데,
제가 캇파 애호가라서요. 카와마츠가 등장해서 무척이나
신바람 나더라고요! 그래서 말인데 카와마츠의 생일을
6월 14일(세계 오이의 날)로 정해주십사 하는 마음에
이렇게 편지를 부치게 되었습니다!   P.N. ala

O : 이것 참... 카와마츠는 멋지니까, 그 기분은 충분히 이해가
되긴 합니다만... 그래도 독자가 멋대로 캐릭터의 생일을
좋아―!!

D : 제 생일은 10월 11일로 해도 될까요?   P.N. 해바라기 집

O : 좋아―!!

D : 코시로 머리의 새우튀김은 스태프가 맛있게 먹었습니다.
P.N. 타카타카

O : 휴... 안심했어!

D : 972화에서 '젠장, 우리 꼴사나워―!!'라고 말하는 사람,
우리 할아버지예요. 슈로로로
P.N. 볶음밥을 사랑한 남자

O : 오― 그래―? 나쁜 짓을 인정하는 건 중요하죠, 암.

D : ONE PIECE가 오뎅처럼 뜨겁습니다.
이상, 현장이었습니다.   P.N. 미-토

O : '와노쿠니'는 화상에 주의!!
'와노쿠니'이니만큼!! (이거 ※수수께끼 아니에요)

※일본 만담에서 언어유희 중 하나 나조카케(謎掛け).

제 977 화
'연회는 취소다!!!'

'갱' 벳지 오 마이 패밀리 Vol.24 '로라?! 시폰?! 자매 재회!'

부디 잘 부탁하네!!!

마침내 '꿈의 배'의 진가를 발휘할 사내가 나타난 거로군.

징베의 조타 기술은 진짜 굉장해!! 프랑키!!

써니 호로 서핑을 했다니까!!

삐링!!

이보게—, 루피 공—!!

어디서!!

아니…… 술 냄새가 나.

지금 술 실어놓은 거 없는데?!

하자—!!

건배할까?!

와

!!

타앗—!!

파앗!!

?!

관둬, 킨. 쟤네들한테 작전 같은 거 줘봤자 무슨 소용이야.

섬 안에서의 행동을 확인하고 싶소!!

저기다!!

뻥치지 마!!

뒷문

섬의 커다란 해골은 산과 일체화 돼 있으며 그 안에 성이 있는데.

'오니가시마'는 산으로 둘러싸인 섬이외다!! 유일하게 '정면의 문'을 통해 섬내로 들어갈 수 있지.

손에 넣은 저택 지도 덕분에 성의 뒤쪽에 '뒷문'이 하나 있다는 걸 알았소.

오니가시마

축제에 취한 카이도에게 기습을 칠 것이오!!

병사를 둘로 쪼개어 좌우의 산길을 지나 '뒷문'을 통해 성내로 침입.

데—엥!!

—그래서 진짜 작전은?

과연. 그것이 칸주로에게도 들려준 놈을 속이는 작전인가….

나왔군. 과대평가!!

엇?

그리고 '나', '밀짚모자', '유스타스' 이 세 선장이다.

음.

놈들이 없애고 싶은 건 너희 '아카자야' 사무라이들!!

!

—우선!! 적이 습격을 알아차렸다 치고

——따라서 예정대로 전원 좌우 산길로 간다.

바보는 좋은 미끼가 될 거다!!

좌 바보 우

……하지만 그 병사들조차 미끼다!!

약 2명 나타날 테지!!

?!

바보?

정면에서 쳐들어갈 바보가

——너희가 어떤 작전을 세우든

그럼 '아카자야' 일행은 어떻게 갈 거지?!!

결전의 장소에 보내는 싸움임을 잘 알고 있네만…

물론 우리도 킨에몬네를

응?

상륙을 막는 소용돌이도 회피할 수 있고

이 잠수정으로 돌아서 가면

!!

바다밖에 없어!!!

내 능력이면 너희를 섬 안으로 들일 수 있다.

알겠다. 우리는 모든 체력을

소인도 산길을 가도록 하지!! 남은 모두를 데려다주시게!!

확실히…!! 그럼 좌우 한 사람씩 해서

소인만은 역시 모두를 선도해야만 하오.

흠, 고마우나 로 공.

카이도에게 쏟아내겠어!!

?!

이봐, 밀짚모자네 배가 없다!!

역시 킨 씨, 주도면밀해!!

좋아!! 당초 예정대로 그 작전으로 가세나!!

……
……

방금 그건 루피 공 목소리가 아닌지?!

안개 속에서 폭발?!

퍼버엉!!

으와아악~~~

응?!

불축제날 밤은 수많은 병사가 거기서 연회의 흥에 취하지!!

섬 앞의 토리이는 작은 요새로 되어 있네.

아뿔싸!!

만약 놈들에게 '습격' 연락이 들어가면!!

토리이(鳥居)의 문지기 이야기를 안 했군.

뭐?!

엇.

꾸루룩앙

젠장!! 당한 건가?!

루피 공~~ ~~~~!!!

큰일이군!! 그랬다간 딱 좋은 먹잇감!!

54

신속한 관문 돌파 감사드리오!!!

고맙기 그지없소!! 루피 공!!

……
……

!!

모든 배는 '오니가시마'로 돌입하라!!!

어떻게 생겨먹은 후각이래.

일단 속도가 생명이야!!

믿음직한걸!! 밀짚모자 일당~ ~~~!!

우오오 ―!!!

우오오오오오오!!!

적이 못 준비하게 막아!!

징베의~~~ 우리 해적단 가입을 축하하다 ~~~

D : 오다 쌤, 오로치 오니와반슈 멤버들의 이름과
키를 가르쳐주세요 P.N. 울보 쿄시로

O : 예이. 머리 혼란스러우니까 안 외어도
괜찮아요!! 덧붙여 특기 기술까지.

후쿠로쿠쥬	다이코쿠	한조
221cm '귓불 딱총'	436cm '변신'	544cm '부유'

사루토비	카제카게	지고쿠벤텐
378cm '환술'	192cm '소환술'	225cm '무음총'

후진	라이진	비샤몬
200cm '미끌 격투'	200cm '미끌 격투'	182cm '수둔'

쵸메	야자에몬
150cm '금력묶기'	180cm '화살'

D : 오로치는 이빨이 두 개만 길고 크잖아요,
먹을 때 힘들지 않나요? 한번 물어봐 주세요!
P.N. 아미

O : 과연, 물어보도록 하죠. 어때? 오로치 쇼군!
오로치 : 별거 아냐! 우걱우걱 따악!! 아펏!!₃

O : 별거 아니라네요!

제 978 화
'토비롯포 등장'

어디에서 요격당할지 모른다!!

긴장의 고삐를 놓지 마라!!

실력을 쌓지 않았다면 20년을 산 의미가 없지.

솜씨는 무뎌지지 않았나?! 덴지로!!

그래!!

와하하, 고생하게 했군!! 끝을 내자!!

!!

오!!

적습은 염두에도 없는 낌새…!!

아직 칸주로의 보고는 없는가.

지금이라면 '기습'도 가능…!!!

'오니가시마' !!!

이게 카이도의 본거지!!

이 섬을 어떻게 공격할지 역시 자유지만………!!

그대들 역시 상당한 해적 같군.

!!

옷옷 열매의 '킨 포목점'!!

─그건 소인의 기술!!

적의 두께는 상당하다!! 전력 차는 5배 이상.

와.

오오!!

!!!

그 변신을 활용하길 권하네!!

원래 옷가지로 돌아오지!! 동지들이여!!!

조금이라도 쓸데없는 전투를 피해 결전의 성에 도달하라!!

─또한 소인의 '술법'인 터라

한번 벗거나 파손되면

웅성 웅성

D : 오다 쌤!! 질문드립니다. 후쿠로쿠쥬랑
　　스트로베리 중장의 머리, 어느 쪽이 더 길까요?
　　궁금해서 밤에도 잠들지 못해요.　P.N. 카이카이

O : 그거야 이미, 눈으로 비교해봐도 알 수 있죠.
　　스트로베리 중장입니다. 스트로베리 씨는
　　슬픔의 숫자만큼 머리가 길어진다는 듯합니다.

D : 최근에, 칼의 의인화를 자주 하시던데,
　　루피의 밀짚모자의 의인화를 보고 싶습니다!
　　잘 부탁드려요!　　　　　P.N. 아키마사

O : 오호라. 새로운 시도네요.
　　그렇지만 뭐, 아시다피시 저는
　　의인화가 특기니까요.
　　옛날에 버기한테 입은 상처까지
　　재현해볼게요! ➡

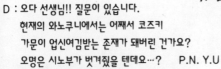

날뛰어도 사라지지 않아

D : 오다 선생님!! 질문이 있습니다.
　　현재의 와노쿠니에서는 어째서 코즈키
　　가문이 업신여김받는 존재가 돼버린 건가요?
　　오명은 시노부가 벗겨줬을 텐데요…?　P.N. Y.U

O : '코즈키 가문'을 믿는 자들은 모두,
　　오로치, 카이도에게 제거당하고,
　　아이들은 나쁜 '세뇌 교육'을 받아
　　도읍의 분위기는 오로치의 것이 됐습니다.
　　'압력', '세뇌'
　　이건 지금의 세상에서도 온갖 문제를
　　일으키고 있다죠. 참 무섭네요!

제 979 화
'가족 문제'

오로치는

방심하고 있다.

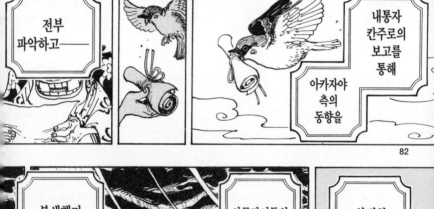

전부 파악하고——

내통자 칸주로의 보고를 통해

아카자야 측의 동향을

봉쇄했기 때문이다.

사무라이들의 보복을

완벽한 작전으로

더는 '코즈키 가문'의 망령들에 시달리지 않는다!!

습격 개시!!

쿵쾅♪ 쿵쾅♬

그럴지나 '오니가시마'!!

삐링!!

'동군'

킨에몬이 이끄는

'남군'

덴지로가 이끄는

총 병력은 5천 명을 넘는다―.

아카자야 사무라이들을 태우고 해저를 통해

해적 로의 잠수정은 ——

카이도의 성

로

확실히 나아간다!!!

남군

동군

카이도·오로치가 있는 성을 향해서

—아직 오로치에게 다다르지 못했다.

킨에몬 생각대로

오로치 곁으로 갈 참이었던 칸주로는

모모노스케를 인질로 삼고

이렇게 복잡할 줄이야………!!

여기 온 건 처음이다.

………

―어떻게 해야 오로치 님께 갈 수 있지?!

어서 보고드려야 하건만.

―이 녀석들 입장에선 나 역시 적일 뿐이니까….

킨에몬에 관한 일을………

....

힐끔··

파악

까하하와하하하

....

5천을 넘는 병사의 진군을

적은 아직

눈치채지 못했다!!!

아니, 그게 말이네. 유스타스·키드 일행이 정면으로

당당히 들어가는 통에…

루피는 어디 갔지?

써니 호에 이런 게 실려 있었다니!!

멋있어 쵸빠~~ ~~♡

좋아! 이거면 안전하게 갈 수 있어!!

맡겨 주십시오.

분명 괜한 대소동이 벌어질 거야!!!

좋아, 내가 걔네들 막고 올 테니까 안심해!!

그 녀석들 킨에몬의 작전도 모르면서!!

분명 그대로 미아가 될 거야!!!

루피가 가면 소동이 커질 뿐이야!! 내가 말리고 오겠어!!

하지만 그랬더니 롤로노아 조로가…

만원이야!!

!!

전장의 랑데부를 하자구요, 나미 누~~~~~님 ♡

하지만 그런 멍청이들은 내버려 두고 ♡

탈 수 있어? 반가운 소린걸 ♡

뒤에 탈래?

부르릉..

너한테 포격 솜씨가 있으면 몰라도 포기해.

안마! 비켜, 우솝!! 천국이냐, 거기가!!

큭...

부르릉!!

너겠냐!!! 보통은 여자잖아ー!!

남자의 우정도 좋지 않습니까. 요호호!!

!!

그럼 부탁드립니다!!

화들짝!

그래, 상관없다. 나중에 광장으로 가자고.

왔나, 너희들.

쿵쾅♪

쿵쾅♪♪

까악——♡ 카이도 님이시와요!!

오랜만이와요♡

그거… 기녀 ♩말투긴 해?

술 즐기고들 있나?

90

이러저러하던 사이에… 방금

사건이 좀 생겨서… 너희를 기다리게 했다.

송사리들과 마셔봐야 '득' 될 게 없어!!

난 당신과 마시고 싶다구, 카이도 씨!!

으— 그만둬라. 즐거운 축제 날에.

분수를 알아라.

당연히 노리고 말고.

쿵쾅♪ 쿵쾅

실력으로 위로 갈 수 있는 조직이잖아.

킹!! 왜 이 녀석들을 모았나.

확실히…….

………

………

바오황!! 오늘의 스케줄을 말해라!!

이 녀석들이 필요한 게 아닌지?

먼저 주워들은 터라…

막 방금 생긴 당신의 문제를

이어서 오로치 님, 카이도 님의 ~~~

'대간판' 세 분 및 후쿠로쿠쥬 님의~~~

지금 퀸님이 맡고 계신 '콘지키카구라' 스테이지에서 이후…

예이~~~~!!!

말씀!!

건배!!

과연….

그런 셈이지…….

──예컨대 그 '중대발표'란 게 야마토 도련님과 연관이?

어머나, 그거 버거운데요……!!

도전권을 주겠다!! 어떠냐?

지명제로 '대간판'에 대한

무사히 데리고 돌아오면?

정말이지? 하겠어!!!

야!!!

귀찮아!! 당신 가정 문제잖아!!

씨익

두두

예, 물론.

웅!!

상관없겠지?

SCREA
~~~M!!!

FUNK
FUNK!!

우동에
있던 놈.

뽀족남?
누구지?
응…?

야!!
뽀족남
못 봤어?

네 얼굴
어디선가
……!!

오뎅의 마음도
모르는 놈이…!!
멋대로 행동이나
벌이고!!

뽀족남
녀석…!!

어디
간 거지?

96

야, 뭐야.
이거
'팥죽'이잖아!!

꾸엑!!

술자리라고!!
까불지 마!!

―근데 맛있어
보이는 요리가
이럴게나………!!

??

와하하하…

질문코너

D : 오다 쌤에게!! 앞으로 5년이면 ONE PIECE 연재를 그만둔다는 게 정말인가요?
  정말이라 해도, 그런 얘기가 공개되는 건
  팬 입장에서는 쓰라린 느낌이 들어요!!
  제 주위에도 갑작스러운 발표에 눈물 흘린 동료 팬들이
  아주 많았어요! 이거 어떻게 책임지실 건가요!!
  라고 말하고 싶지만, 오다 쌤이 마음 편하게
  휴식을 하셨으면 좋겠어요!

                    P.N. pari_bentham

O : 네. 그만둔다기보다, 루피의 모험에서 가장 재미있는 부분,
  ONE PIECE란 게 대체 뭐야? 이 이야기가 완결되기 때문에, 끝납니다.
  지금 '와노쿠니', 무르익고 있습니다만 루피가 무사히 여기서 출항하게 되면,
  세계급 전개, 아무도 읽은 적 없는 대흥분의 이야기,
  원피스 사상 '가장 거대한 싸움'을 그리게 될 겁니다. 재미있어요!!
  그런 까닭에, 이 기나긴 이야기도 확실히 끝맺음을 향해 가고 있어요, 라고
  독자에게 이런 마음가짐을 부탁드리는 의미에서, 그런 발언을 했습니다.
  하지만, 지금은 일단 뜨거운 '와노쿠니'를 찬찬히 즐겨주세요.
  전력을 다해 그리겠습니다!!

D : 오다 선생님, 안녕하세요!! 요전에 '근질근질 열매'
  모델 '가랑이'를 먹었습니다.
  근질근질해요.   P.N. 에무 망상

O : 네―엡. 잘 알겠습니다―. 다음 분 갈게요―.

D : 여기 주문하신 구운 철입니다.
  예명 : 한쪽 날개 조르기

O : 아― 드디어 왔네! 겨울은 이거지! 구운 철!
  한입에 꿀꺽하는 게 좋겠지.
  잘 먹겠습니다―!
  앗뜨――!!! 彡⊹⊹네.

제 980 화
'싸우는 뮤직'

'갱' 벳지의 오 마이 패밀리 Vol.27 '당신 맘에 들어!!! 결혼해줘!!!'

'엘리펀트 건
(코끼리 총)'!!!

어~~~~?!
잠깐잠깐,
웬 서프라이즈냐,
설명해봐라!!

어? 이놈들
우리 쪽 사람이
아닌가?!

알고 있어!
아직
안 들켰고!

하지만
전쟁이
아니잖아!

퀸 님!!

의사~~!!

우동에
잡혀있다고
들었는데.

어째서
여기에?!

분명
'밀짚모자
루피'!!

....

도망쳤다
~~~!!

도망치자!!

뭐냐,
이 녀석들!!!

일단
붙잡고 봐!!
수상해!!

그럼 루피,
화가
풀렸으면

으앗!!

익!!!

조로!!

무슨
능력자지?!

날붙이도
안 갖고 있고
공격의 궤도가
전혀 안 보여.

참격?!

뭐...?

....
......!!

그래!!

또 뭔가
온다!!

키잉!!

음~~~~♪
체키라♪

'퍼엉
(爆)'♪

!!!

이봐, 이봐!!
싱겁구먼!!
진짜냐.

무하하

루피!!!

………!!

112

이 자식도 '우동'에 잡혀 있었을 텐데!!

어?! 최악의 세대가 한 명 더?!

와아아아아아아아아아!!

또롱! 팔락

너는 솔선해서 우리 '동맹'에 참여했다.

바로 눈치챘어야 했어……!!

!!

텅럭!!

바바누 키이~~~~~!!

우동은 '이상 없음'인 거 아니었나아?!

문제없습니다.

'정보꾼' 이었다는 것을!!!

네가 이미 카이도의

………… ……!!

!!!

뭐?

듣고 나면 벗어날 방법이 없어. 기습을 조심해!!

아푸의 공격 범위는 '소리가 들리는 거리'다!!

칫.

'플레저즈'가 됐다고!!

그거 알아? 킬러는 SMILE 실패작을 먹고!!

해치우면 이름값이 오를 거야!!

'최악의 세대'가 대집결이군. 이 '오니가시마'에!!

먹으면 선장을 구할 찬스를 주마.

...

오아아아아아아아!!

'우동'에서 탈옥한 건가......

....

콰아앙

소란 피우지 마, 너!!

하지 마, 키드!!

끄아아악!!

뭐가 웃기냐!!!

그쪽을 잡는 편이 더 큰 공적이야.

그보다 야마토를 찾아내서 보고해.

내버려 둬. 생쥐 몇 마리 갖고 뭘.

쫓을까요? 공적이 될 텐데.

사사키한테 추월당하지 마라.

예!!

나도 있다고……!!

죽이고 싶은 놈이라면

퀸 자식, 말 한번 잘하는군……

묘하군요. 정규 항구에 배 그림자는 코빼기도 안 보인답니다, 빅 맘.

곧 도착하겠지!!

배는 무사한 것 같으니.

마마마마마……!! 연락은 마쳤어.

………'항구'가 뭐지?

네?

그 상황에 맞춰

사무라이들의 상륙은 아직 적의 귀에 들어가지 않았고,

'작전'도 형태를 바꿔 간다―.

'동군' 킨에몬 측―.

'오니가시마' 동쪽―.

현 위치

남쪽   동쪽

산길 중턱에서 두 갈래로 나뉘었다―.

사무라이들이 모두 뒷문으로 돌아서 가는 게 아니라

카이도, 오로치를 협공하려는 속셈이다.

적으로 변장해 카이도 습격 순간을 기다린다!!

절반은 해골 돔의 옆에서 내부로 침입.

현위치

등나무꽃이
우거진
물터ㅡ.
긴 다리.

한 가지 오산은
오래된
'저택 지도'에는
기록돼있지 않은
증축이었다.

그 다리를
한눈에
볼 수 있는
'유곽'ㅡ.

저 다리를
2천 명 이상의
병사가
건너기는 너무
부자연스러워
.........!!

킨에몬!!
이런 곳에
'유곽'이~
~~~♡

블랙마리아의
저택ㅡ.

여기는
'토비롯포'

스으으으오옷
스스슥
빨려 들어가듯 들어가다니 ——!!!
상디 공 ~~~!!
킨에몬, 우리도 내부로 잠입할게.
우리는 모모노스케 님을 찾는 팀을 짜겠어요!!
!!
이 몸은 혼자 도망쳐 보일 터이니!!!
………
……!!
걱정돼서 못 참겠지?! 맡겨 줘!!
킨에몬은 싸움에 집중하면 돼—!!
고맙소이다…!! 솔직히 싱숭생숭하였소.
부탁하오!!
유곽에서 누가 나온다!!
비틀…
?!

루피 일행의 소동을 듣고 지금 유곽 내에 사람은 거의 없다.

지금이라면 다리를 건널 수 있다.

여자가 없는 유곽에 사내도 있을 리 만무!!

유녀와 만나지 못한 거 같아!!

상디 공!!

루 ㅡ 웅

남은 자는 소인을 따르도록!!

타 닥

좋아!! 멋진 대답입니다!!

그래.

내부 잠입조, 잘 부탁함세!!

오오!!

타다닷‥!!

유곽 쪽의 창문을 주시하라!!

130

첨벙!! 첨벙!!

스ㅡㅡ 윽

아뿔싸, 물에 뛰어들어라!!!

밖이 시끄럽군‥

?!

혹여 창문에 사람이 보이거든

'밀짚모자'의 모가지를 세상에 보여줘야 해!!

그래. 마마의 얼굴에 먹칠하고 우리의 평판을 떨어트린

그 전에 우리가 뭐하러 온 건지 떠올려 봐라!!

동맹?!

마마가 결정한 일이다.

전투 준비!! 방심하지 마라!!

첨벙

자, 도착했다. 와노쿠니!!!

'밀짚모자'의 목부터 따고 동맹 이야기는 그다음이야!!

그런 것보다 난 카이도 씨의

마음에 들어 보일래!!

133

…아니, 아니야!!

엑~~?! 킹?!

저 자식, 또 무슨 짓 하려

펄럭

어?!

요전에는 여기서 그 밉살스러운 킹에게…

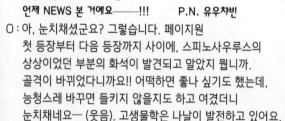

질문코너 S&S 에스 바 에스

(오사카 부 · 패트릭 씨)

아니야!!

집합 장쏘를 도안 으로 그려 보았쏘

D : 오다 선생님—!! 페이지원의 모델,
스피노사우루스는 바다에서 헤엄쳤었다는 사실이
2020년 5월에 새로 발견되었대요〜〜!!
바쁜 오다 쌤한테 알려드려요〜〜♡
근데, 헐—!!! 983화에 꼬리지느러미가
수정돼있어—!!! 아이참〜〜?!
언제 NEWS 본 거예요———!!!　　　P.N. 유우챠빈

O : 아, 눈치채셨군요? 그렇습니다. 페이지원
첫 등장부터 다음 등장까지 사이에, 스피노사우루스의
상상이었던 부분의 화석이 발견되고 말았지 뭡니까.
골격이 바뀌었다니까요!! 어떡하면 좋나 싶기도 했는데,
능청스레 바꾸면 들키지 않을지도 하고 여겼더니
눈치채네요 — (웃음). 고생물학은 나날이 발전하고 있어요.

D : 다음에 밀짚모자 일당에 들어가는 건, 사실 접니다.　P.N. 모모 다이후쿠

O : **진짜루?!!** 자신감 보쏘...!! 그렇지만 너 12살이잖아....

D : 온갖 세상만사의 규약이 빡빡해지는 와중에,
이 코너는 그런 일이 없어서 정말로 기뻐요.
그런데 오나미가 쓴 타올, 냄새 맡아도 될까요?
오나미의 여닌자 의상의 기장이 너무 짧아서
걱정이에요.　　　　　　　　P.N. 사나닷치

O : **사나다—!!!** 잠깐, 경비원 아저씨!
왜 이 녀석 들여보낸 거예요!
쫓아내라고 말씀 드렸잖아요?!
'규약' 있다니까, 우리는!!
변태 발언 OUT이야!! 히카킨 TV 수준의
결백함이 목표라고!! 썩 나가, 사나다!!

제 982 화
'무례한 놈 meets 무례한 놈'

참으로 대단해. 내가 하마터면 죽였을지도 모르는데.

아카자야 사무라이들을 바다에 가라앉힌 전함의 함장들과 함께 말이야!!

이윽고 20년의 연기 인생을 마친 '칸주로'가 이곳에 온다.

—하지만

전경 전경 찌익!!

'라프텔'로 가는 단서는 사무라이들에게 아무것도 전해진 바 없는 모양이다…!!

쿵쾅♪ 쿵쾅♪

오뎅에게 '아무것도 못 들었다'고 하니

—그토록 신뢰할 수 있는 남자가

우당탕!!

까악—!! 뭐야?! 당신!!

찌익—

오로치 님께 볼일이 있소!!

미안하외다!!

놀라워⋯⋯⋯!! 확실히 기억이 나.

너는 아카자야 아홉 남자 중 하나로군.

'역할'이 끝나면 알 바 없는 꼬맹이올시다.

므하하하. 피도 눈물도 없는 사내로고!!

한때는 '주군'으로 받든 '코즈키의, 후계자'를

실망했던 그때 모습 그대로!!

이게 그 오뎅의 아들인가 하고

네 아비는

바보 나리다.

너도 잘 기억하고 있지⋯!!

⋯⋯!!

잘하였다!! 우선 건배다!! 칸주로.

넙죽!!

아니요, 오로치 님!!

꿀꺽 꿀꺽!!

어머, 불쌍해라. 아직 조그마한 꼬마를 피가 나도록 때리고⋯⋯

예에. 그저 망할 애송이⋯⋯⋯!!

⋯!!

철썩!!

이어받은 이름이 너무나 위대할 뿐인⋯

송구스러울 따름이오!! 오래 알고 지낸 킨에몬이

그렇게 주도면밀할 리가 없거늘…!!

네가 얻은 정보인데?!!

작전 저지에 실패했다고?!!

후쿠로쿠쥬!!

그건 아직 안심하셔도 됩니다, 오로치 님.

항구에 배는 한 척도 보이지 않습니다.

선단은 이 오니가시마로 오는 건가?!!

'밀짚모자 루피', '해적 사냥꾼 조로',

'유스타스 '캡틴' 키드', '살육무인 킬러'.

——하지만 출항한 세 척의 전함도 돌아오지 않았지요…!!

?!!

바깥의 라이브 플로어에는 네 명의 해적을 확인.

연회에 찬물을 뿌리는 게 아닐까 싶어……!!

퀸 님이 처리하고 계시지라

섬 내에 수상쩍은 사무라이들의 목격 정보 또한 없습니다.

왜 보고하지 않았나?!

상륙했을 가능성이 높습니다.

이 두 해적단의 멤버는 전원,

워로로. 그 말이 맞다. 마셔라, 오로치!!

무슨 일이 벌어지든 이곳만큼 안전한 곳은 없을 것입니다!!

어찌 되었건 이 '오니가시마'에는 우리의 모든 전력이 모여 있습니다.

한 잔 받으세요.

아니야……!! 내가 듣고 싶은 건 위안이 아니다!! 사무라이들을 죽였다는 보고라고…!!!

다들 온 게 아니라고? 배도 없어? 킨에모... 모두 무사할까?

어떻게든 살아남아!!!

반드시 구하러 갈게!!

루피가 이 섬에 와 있다...!!

그래... 잊으면 안 되지... 이놈이 적의 '대장'이잖나!!

?!

아.

블랙마리아...!! 모모노스케를 줘봐라!!

해!!

이 '코즈키'의 생존자를 죽이고!!! 이놈들의 역사에 막을 내려주마!!!

그걸로 모든 게 끝이다!!! 크후후, 후하하!!!

!!!

스테이지에 책형대를 준비해라!!!

쿵쟁♬

쿵쟁♬

최고 속도로 왔더라면 우리는 이미 뒷문에 도착했을 거다!!

이누처럼 많이 컸겠죠, 네코도.

여전하구만. 제때에 오면 좋겠는데. 캇파파.

보통 배로 접근할 수 있는 곳은 '정면'밖에 없어.

해류 탓에

오뎅 님의 뜻을 이루고 싶다!!

다 함께 모여서!!

모모노스케 님!! 부디 무사하시길!!

뿌우우

킨에몬, 덴지로도

뒷문에 잘 도착했다면 좋으련만….

와하하. 잠행이냐? 자랑하던 리젠트는 어쩌고?

그래, 비밀로 부탁한다!!

쿄시로——!! 야, 올해는 안 온다고 들었는데?!!

'남군' 덴지로 측.

현 위치

너도 연회를 빠지다니 별일이군.

실종됐어. 섬은 나가지 못할 텐데….

카이도 씨의 꼬맹이가 말이야.

지금 부하들이 찾아다니고 있지.

쿵쟁! 쿵쟁♬

꽝앙!

아—.

협객 '쿄시로'에는 별것 아닌 장애물이었다.

이쪽도 저택 지도에는 없던 문이 길을 막고 있었으나

백수해적단 토비롯포 샤사키 SASA KI!

무슨 속셈인 건데?!! 야!!!

입도 막아둬라!!

예이.

허어?! 야, 무슨 짓이야. 쿄시로!!

?!!

사사키.

삵

와노쿠니의 역사를 아는가?

피 리 잉!!

149

착실하게 카이도의 목에 다가간다!!

'동군'과 마찬가지로 병사를 둘로 쪼개―

성가신 '토비롯포' 중 하나를 제압하고

습격조

돔 안 잠입조

여기를 통해 돔 안으로 들어가!!

맞았다————!!!

'동군' 킨에몬 측—

퍼버어엉!!

한편—.

!!

투

밀짚모자 일당~~~~~~~~~!!!

선장의 목을 내놔라!!!

까아아아아아아아

아, 아, 아

다들 지금이다!! 앞으로 나아가자!!

그래!!

은혜를 입었소, 우솝 공!! 쵸파 공!!

겁에 질리고도 일부러 저쪽으로 도망가주었다…!!

와까

헉—

헉—….

（도치기현 · DJ부장 씨）

D : 오다 쌤, 만나서 반가워요!!
978화에 등장한 토비롯포가
너무나 멋있었던 나머지,
무심코 엽서를 보내버렸어요!
분명 같은 내용의 엽서를 잔뜩
받으셨겠지만, 토비롯포 모두의 키.
나이 · 좋아하는 음식을 알려주세요!!
P.N. 하루키게니아

O : 이거 참ㅡ, 네. 맘에 든다는 성원을 듬뿍 보내주셨던 '토비롯포'
대체 뭘까요, 이 인기는. 퀸 님도 칭찬해 달라구요!!

	후즈 후		블랙마리아		사사키
	336cm		820cm		318cm
	38세		29세		34세
	게 빠에야		미타라시 경단		아스파라거스

	울티		페이지원		X 드레이크
	173cm		171cm		233cm
	22세		20세		33세
	트위스트 감자		나초		치킨 라이스

D : 96권에서 로저 해적단의 주요 멤버를 소개하셨는데,
'노즈돈'이라는 캐릭터는 예전에
'BLUE DEEP'에서는 '시걸'이라고 쓰여 있어서,
'시걸'로 기억하고 있는데요…. 어떡하죠?
P.N. 톳피 대선단 선장 오오다 군

O : 엑?! ………!!ₓ …아아〜… 그 친구요? 하아〜 흠흠.
'시걸 건즈 노즈돈' 말이군요? 음음.
뭐어… 어… 어떻게 부르든 괜찮구… 기억하지 않아도 되구요…. 맡길게요.

제 983 화
'뇌명'

'갱' 벳지의 오 마이 패밀리 VOL.29 '항구에 있었던, 그때 그 아저씨'

잉어가
오르는
폭포——

쾅아아아ㅇ··!!

와노쿠니

'오니가시마'
······!!

저건가···

쿵 쯔직♪

쿵 쯔직♪

철써——억

········
········

그 위의
바다——

'동맹'도
인정 못 해!!
마지막에
이기는 건

각오해라······
할짜락♪

ㅋㅋㅋㅋ···

'빅 맘
해적단'이다.

'밀짚모자'
······

킹······

마르코
······!!!

'오니가시마' 산길 유곽——

나미네 쪽으로 쫓아가 버렸어!!

어쩌지, 우솝!! 빅 맘이……

제우스를 되찾을 심산이야……!!

미안하지만 덕분에 우리는 살았어.

한 방 얻어맞아서 전차가 이상한 '변형 스위치'를 기동했는데

그건 그래!!

유곽에 간 상디는 불안해.

뭐— 나미 쪽도 어떻게든 되겠지……!! 상디도 있으니까.

킨에몬 쪽은 먼저 갔으니까!! 우리 대활약이야!!

마~~~ 마마마하하. 허둥대지 마라……!!

마마, 이쪽이야. 이쪽!!

유곽 안——

이 앞은 라이브 플로어, 달아날 곳은 없어!!

이쪽이야, 이쪽~♪

야아—!! 빅 맘 부르지 마, 태양!!

어쩌지, 나미. 나 살해당하겠어.

아무튼 도망쳐서 모모노스케 님을 찾아야 해!!

응!!

뭐 하러 온 거래?! 그 녀석!!

나는 유녀를 포기하지 않아!!

아… 하지만

아까 상디 봤지?!!

생명을 줄게♡

따라오렴!!

와아—.

낡은 나막신♪

자아, 낡은 우산♬

오로치 님!! 준비 다 됐습니다!!

...으......

'해골 돔' 라이브 플로어

끄후후.

두

웅

긴급 특별 이벤트를 시작한다 ~~~~~~~ ♪

짜식들아~~ ~~~~~ ~~~~~ ♪

우오오~~ ~~~~~ ~~~~~!!!

와아아아아아

브라더 오로치 프레젠트!!

아— 아— ...홈홈!!

놀라지 말라. 20년 전에 죽은 줄 알았던 '코즈키 오뎅'의 아들이다!!!

엑—?!!

제군!! 지금 보고들 있는 포맹이!!

히트 쪽은 놓쳤지만 들키지 않으면 어떻게든 되겠지…!!

키드… 정면돌파는 역시 무모해!!

성안, 키드 사이드

내 일에 상관 마!! 내버려 둬!!

웅성!!

?

응?

기다리십시오!! 카이도 님이 찾으십니다!!

자!! 너희를 죽이면 승격 찬스!!

………?! ……?!

꼬악——!!!

콰지

꾹!!

빈틈을 보이면 즉시 죽음이다!!!

정신 좀
차려!!

와락

우리
페찡이,
괜찮아?!

......

차리시
와요!!

성안,
루피
사이드

아——!!

이름을 대!!
누구 부하고
어디 부대야?!!

엉?
네가 계단에서
스키 타서
그런 거잖아,
그 녀석으로.

야, 너.
잘도 페찡이를
이런 꼴로
만들었겠다.

아닙니다,
울티 님.
그 녀석은
침입자!!

해적왕이
될 남자다!!!

나는
루피!!!

?!!

해적왕이
되는 건

떠엉

까하하.
이 자식, 여기가
누구 성인지
알기나 해?!!

뭐어?

정수리
빠개져라!!!

팍직
팍직!!

당연히
카이도
님이지,
울트라
멍청이!!

ㅋㅋㅋㅋ

박치기인가.

'울 두건
(頭銃)'!!!

쿠사
!!!

앙

!!

'엘리펀트 건
(코끼리 총)'!!!!

빠

게엌

PAGE 1

!!!

잘도
폐찡이를!!

무리예요, 무리.
성이
못 버팁니다!!

울티
님마저
공룡이!!!

터덥!!

엇!!

이 자식!!

D : 기프터즈가 된 사람들은 자유롭게 인간형이 되거나,
　　변형하거나 할 수 있나요? 먹은 열매에 따라 다른가요?
　　　　　　　　　　　　　　　　P.N. 켄키치

O : 먹은 열매에 달렸죠. SMILE은 인공 악마의 열매니까요,
　　모든 게 불안정합니다. 확실히 '동물의 힘'을 손에 넣는 건
　　가능하지만, 배때기의 사자와 싸움질한다든지,
　　하마에게 매번 먹힌다든지, 그런 사람들은 자유롭게
　　동물을 집어넣을 수 없는 증거겠죠. 진짜 강한 놈도
　　잔뜩 있습니다만, 도박이에요. SMILE은.

D : 어라? 상디의 40세와 60세 모습이 마음에 드는 사람 안 계시는가요?
　　그럼, 제가 물어볼게요! 쵸파의 장래 모습을 그려주세요!
　　부탁드립니다!!　　　　　　　　P.N. 420 랜드

O : 보실래요? 여기요.

AGE 40

여긴 나한테 맡겨!!

AGE 60

어떤 병에도 듣고 못난이 한테도 들어

무슨 일이 생긴 미래

밀짚모자? 두 번 다시 그 이놈 입에 올리지마

산제물 끌고 와!!!

네, SBS는 여기에서 마칩니다! 다음 권에서 또 봐요!!

제 984 화
'나의 바이블'

여기는 보는 눈들이 있잖아!!

장소를 바꾸고 싶어!!

5초 안에 얘기해!!

그럼 싫어!!

고집불통 녀석…….

전혀 다가갈 수 없어!!

어떡해야……!!

야마토 님을 잡아두라니

177

그 녀석과의 싸움이.

도리어 떠오르는걸.

죽은 그 날!!
──불타는 오뎅
성안에서!!!

그 쿄즈키
오뎅이

해골 돔
'라이브
플로어'

사라진 게
이 녀석들이다!!!

카
하
아
하

까

와

오뎅의 아내
토키는!!
'원한'을 미래로
날려보낸

마녀였다!!!

…………
……!!

어디로
도망쳤나?!
바로
미래다!!

20년의
세월을 넘어
그날 모습 그대로
이놈들은 현대의
'와노쿠니'에
나타났지!!!

179

'코즈키'는
먼 옛날에 멸망한
절멸종이야.

상투 머리
꼬마는
여기저기
널렸다구.

쿵짝♪
쿵짝♪

그게 말이
돼~~~
~~~?

아래로
데려와 봐!!
내가 눈깔을
도려내 주지!!

그렇게
멀리서
그러지
말고!!

지당하다니까
─.

와하하.
그렇고
말고─!!

그치,
형제!!
까하하.

찌를까?! 쏠까?!
역시 '가마솥'에
끓일까!!!
끼하하!!!

견뎌라,
니코 로빈.

사무라이들은
반드시
움직인다……!!
아직일세.

모모의
저런 꼴,
못 보겠어…!!

!

어쩌지,
두목.

……

습격 쪽 병사들은
순조롭게 연회에
녹아들었다.

모모노스케
님…

모모
노스케
님…

모모노스케
님……!!

모모노스케 님…

까하하하.

가능한 한
섬 쪽에 붙여!!

예이.

아카자야
사무라이들을 태우고
섬의 '뒷문'에
도달—.

한편—
잠수정
'폴라탱 호'는

베포, 샤치, 펭귄.
준비됐겠지!!

물론,
캡틴!!

아이이아이
~!!

이미 강한
조류에
휩쓸렸다.

해면에
부상하면
기회는
잠깐이야!!

뿌그르르르

잘 부탁합니다!!
트랑이 씨.

……

'오니가시마'
뒤편으로
부상합니다!!!

어디, 섬의
상황은……!!

마르크!!
변함
없군!!

정말
굉장한
술법이군.

도착했다!!

그릉냐!!!

맞다,
미리
말해두지
않았구냥!!

184

배부른
소리 마!!
'명안'이
있네는
무슨!!

아아아아

이봐, 잠깐.
쪼이
조심스럽게.

아아아아.

입구가
두 개다!!

쿠쿠웅!!

까울!!

네코마무시!!

틀림없이
위쪽이
카이도에게
가는
길이겠지.

성안, 지붕 아래

5분이야!!

응!!

——어느 날, 아버지한테…

'코즈키 오뎅이 되고 싶다'고

말했다가 얻어맞았지.

왜 그걸 나한테 말하고 싶은 건데?!!

그런 훌륭한 사무라이는 또 없어.

죽인 건 오로치와 나의 아버지야!! 분했지.

……하지만 그 이상으로 가슴이 뜨거워서

눈물이 멈추지 않았어……………!!!

20년 전에 나는 그 오뎅의 처형…!! '전설의 한 시간'을 봤어!!

버적!!

188

——그 후 쿠리에서 주운 코즈키 오뎅의 '항해일지'는 나의 바이블이야.

호오 일지!!

이 일지의 존재는 아버지 쪽도 몰라!!!

여기에는 그의 호쾌한 인생과 '중요한 사실'이 쓰여있어!!

빠——빰!!

아카자야 사무라이들도 죽은 지금…!! 누군가 오뎅의 의지를 이어야 해!!

CHAMP COMICS

원피스 97

2023년 11월 23일 초판 인쇄
2023년 11월 30일 초판 발행

저자 : EIICHIRO ODA
역자 : 길명
발 행 인 : 황민호
콘텐츠1사업본부장 : 이봉석
책임편집 : 조동빈 /정은경
발행처 : 대원씨아이(주)

ISBN 979-11-6894-543-2 07830
ISBN 979-11-362-8747-2 (세트)

서울특별시 용산구 한강대로 15길 9-12
전화 : 2071-2000 FAX : 797-1023
1992년 5월 11일 등록 제1992-000026호

ONE PIECE

● Korean edition, for distribution and sale in Republic of Korea only.
● 이 책의 유통판매 지역은 한국에 한합니다.
● 잘못 만들어진 책은 구입하신 곳에서 바꾸어 드립니다.
● 문의 : 영업 (02)2071-2074 / 편집 (02)2071-2027

www.dwci.co.kr